# Franklin y el regalo de Navidad

Para Hannah y Charlotte Cowan,
dos niñas muy especiales — P.B.

A mis padres, por los cálidos recuerdos navideños — B.C.

Franklin is a trade mark of Kids Can Press Ltd.

Spanish translation copyright © 1999 by Lectorum Publications, Inc.
Originally published in English by Kids Can Press under the title
FRANKLIN'S CHRISTMAS GIFT
Text copyright © 1998 by P.B. Creations, Inc.
Illustrations copyright © 1998 by Brenda Clark Illustrator, Inc.
Interior illustrations prepared with the assistance of Shelley Southern.

1-880507-56-0 (pb)
1-880507-67-6 (hc)

Printed in Hong Kong

10 9 8 7 6 5 4 3 2 1

**Library of Congress Cataloging-in-Publication Data is available**

# Franklin y el regalo de Navidad

*Por* Paulette Bourgeois
*Ilustrado por* Brenda Clark
*Traducido por* Alejandra López Varela

Lectorum Publications, Inc.

A FRANKLIN le encantaba la Navidad. Se sabía de memoria el nombre de todos los renos de Papá Noel. Podía hacer preciosos lazos con cintas rojas y sabía tocar "Noche de Paz" con su flauta.

A Franklin le gustaba mucho dar y recibir regalos. Pero este año todavía no había decidido qué juguete iba a poner en la caja de regalos de la escuela.

Todos los años los estudiantes del señor
Búho traían juguetes para regalar a los niños
de familias necesitadas. Los juguetes debían ser
nuevos o estar en buenas condiciones.

Cuando el señor Búho sacó la caja donde
colocarían los juguetes, todos se pusieron muy
contentos. Tenían tres días para pensar en el
regalo perfecto.

Esa misma tarde, Franklin buscó entre sus juguetes. Sacó un resplandeciente carrito rojo.

—Me acuerdo de este carrito —dijo, haciéndolo rodar por el suelo—. ¡Bruumm, bruumm!

Después, Franklin sacó un elefante de peluche y lo abrazó con cariño.

—¿Dónde te habías metido? —dijo.

Luego, Franklin encontró la canica verde que había perdido hacía varias semanas.

—¡Estupendo! —gritó.

A Franklin le encantaban las canicas. Había ganado cada una de las canicas de su colección, y todas eran preciosas.

Franklin siguió buscando entre sus juguetes.

Al final, decidió quedarse con todo y regalar un camión viejo al que le faltaba una rueda.

Franklin le pidió a su papá que lo ayudara a arreglar el camión.

—Podemos intentarlo —le dijo su papá—, pero no parecerá nuevo, y dudo que quede bien.

—Pero es lo único que tengo. El resto de mis juguetes son especiales. No puedo regalarlos.

—Piénsalo bien, Franklin —le dijo su papá—. La Navidad es la mejor época para demostrar nuestra generosidad.

Al día siguiente, en la escuela, Franklin les preguntó a sus amigos qué iban a regalar.

Castor iba a dar su gran libro de preguntas y respuestas.

—Yo voy a regalar un rompecabezas —dijo Oso—. Sólo lo armé una vez.

Franklin frunció el ceño. —Yo … creo que voy a regalar un camión.

Todavía tenía dos días para decidirse.

Pero Franklin estaba demasiado ocupado para pensar en el regalo.

Tocó la flauta en el concierto de la escuela, hizo una tarjeta para el señor Búho y escribió un cuento sobre la Navidad.

—Elegiré un regalo después de clase —se prometió a sí mismo.

Cuando Franklin llegó a casa, vio que había un regalo para él debajo del árbol. Era de su tía abuela Harriet.

Se emocionó tanto que se le olvidó que tenía que elegir un regalo para llevar a la escuela.

Franklin agarró el paquete y lo agitó.

—No lo mires, Franklin —le dijo su mamá riendo.

—¿Tú sabes lo que es? —preguntó Franklin ansioso.

—Debe ser algo especial —le respondió su mamá—. La tía Harriet siempre te regala cosas que tienen un valor especial para ti y para ella.

—Como el año pasado —dijo Franklin.

La tía Harriet sabía que a Franklin le encantaba representar obras de teatro. Por eso le había regalado dos títeres con los que ella había jugado de pequeña. Fue uno de los mejores regalos que recibió Franklin en su vida.

Al día siguiente, la caja de los regalos estaba repleta.

—Todos han sido muy generosos —dijo el señor Búho.

—¿Saben que el regalo que ustedes han dado podría ser el único que algunos niños reciban esta Navidad?

A Franklin se le hizo un nudo en la garganta. No había pensado en ello. Al día siguiente, sin falta, tendría que traer su regalo.

Franklin fue a casa corriendo y volvió a buscar entre sus juguetes.

Seguro que a alguien le gustaría el elefante, pero ya estaba muy gastado de tantos abrazos.

Y Franklin no estaba seguro de que el carrito rojo corriera lo suficientemente rápido.

Franklin estaba triste. Al principio, todos sus juguetes le parecieron demasiado especiales como para regalarlos. Ahora, sin embargo, ninguno le parecía lo suficientemente especial.

Franklin jugó con los títeres que le había regalado la tía Harriet y pensó en cómo sabía ella elegir sus regalos.

—Los mejores regalos son aquéllos que significan algo, tanto para el que los da como para el que los recibe —murmuró.

Justo entonces Franklin vio su colección de canicas y supo que las canicas eran el regalo perfecto de Navidad.

Franklin las limpió hasta dejarlas relucientes y después las colocó en una bolsita de color violeta.

Envolvió la bolsita en papel de regalo, y en la tarjeta escribió:

*Estas canicas traen buena suerte.*
*Feliz Navidad.*

A la mañana siguiente, Franklin puso su regalo arriba de todos los otros.

Después, fue con toda la clase al Ayuntamiento para dejar los regalos debajo del árbol.

Franklin sabía que echaría de menos su colección de canicas. Sin embargo, no estaba triste. Al contrario, se sentía muy feliz.

El día de Nochebuena, la tía Harriet vino de
visita y Franklin pudo, al fin, abrir su regalo.

Franklin arrancó el papel.

—¡Es precioso! —dijo Franklin—. Muchísimas
gracias.

La tía Harriet sonrió complacida. Le había
hecho a Franklin un escenario para que pudiera
representar obras de teatro con sus títeres.

—Ahora abre el tuyo —insistió Franklin,
impaciente.

La tía Harriet desenvolvió su regalo despacito y con cuidado.

Adentro había una obra de teatro que Franklin había escrito y dedicado a su tía abuela.

—Éste es el mejor regalo de Navidad que he recibido —dijo la tía Harriet.

Franklin se sintió completamente feliz.